SÉ PERSEVERANTE

¡No te rindas! Las cosas valiosas toman tiempo.

De:

_____

Para:

_____

SÉ PERSEVERANTE

¡No te rindas! Las cosas valiosas toman tiempo.

ARMANDO PÉREZ

SÉ PERSEVERANTE
Por Armando Pérez

©Todos los derechos reservados
Primera Edición 2023
Santo Domingo, República Dominicana

Titulo publicado originalmente en español:
Sé Perseverante, no te rindas.

ISBN: 978-9945-9363-6-0

Los textos Bíblicos en este libro han sido tomados, con permiso, de la Versión Nueva Traducción Internacional y Reina Valera 1960 Copyright.

Diseño de portada:
F. Gabriel Rodríguez

Impreso por:
Editora Graphic Colonial
✉ graphic_colonial@yahoo.com
🔵 809-839-5222

Corrección:
Miguel Cambero

Para más información:
Pastor Armando Pérez
Facebook: Armando Pérez / Pastor Armando Pérez
Youtube: Pastor Armando Pérez
Instagram: Pastores Armando y Candy Pérez
Categoría: Espíritual

La perseverancia es la capacidad de una persona para mantenerse firme en una decisión tomada, o trabajar de manera constante para conseguir una meta sin llegar a renunciar, incluso frente a los obstáculos más difíciles.

La perseverancia aumenta tu autoestima, te ayuda a mejorar tus capacidades y habilidades, te da confianza, optimismo, auto control y auto disciplina.

Pastor Armando Pérez

Contenido

Dedicatoria

A mi esposa Candy, mi ayuda idónea y compañera de ministerio. Juntos hemos sido perseverantes en alcanzar los planes de Dios y cumplir nuestra asignación divina, a mis dos hijos, Sarah y Abraham; ellos son la nueva generación perseverante. Cada día oramos, impartimos, enseñamos e invertimos en sus vidas para que todo el potencial que Dios les ha dado sea manifestado, y a su vez puedan realizar la visión de Dios y los proyectos que Él diseñó para ellos.

A mis padres espirituales los apóstoles Rafael y Loyda Osorio, a quienes honro y valoro por su perseverancia por más de 45 años en el ministerio, ellos han impactado mi vida, la de mi esposa y las generaciones a nivel mundial, ellos creyeron en mí y me han ayudado a desarrollar mi potencial y el llamado en el Señor.

A mi padre Leonel Pérez, quien me ha motivado toda mi vida con su perseverancia y la pasión con la que trabaja, él me enseñó la bendición del trabajo, su ejemplo de vida, de padre y su perseverancia, es una de las cualidades que más admiro de él. Te amo papá.

A mi madre Lisaannia Heredia, quien desde pequeño me consagró al Señor y me enseñó las Escrituras, su perseverancia activó el potencial que Dios me dio, gracias por darme a luz. Te amo mamá.

A mis abuelos Ángel e Isabel, ellos han sido los intercesores de nuestra familia, por años han orado tanto por nosotros y han sido perseverantes en la oración, ellos fueron los pioneros en traer el evangelio y dedicar toda su familia al Señor.

A mi suegra Gloria Domínguez, ella es una hija espiritual a quien valoro por su perseverancia, su entrega, trabajo y sus oraciones en nuestro ministerio.

A mi tío el pastor Ángel Heredia, él es un hombre perseverante, sus oraciones siempre han estado presentes.

Dedico este libro, también, a todos los pastores, líderes e hijos espirituales para que sean perseverantes y no se rindan en su asignación y llamado en el Señor, su perseverancia será recompensada en los cielos, no se rindan.

A todas estas personas, les amo y les bendigo.

AGRADECIMIENTO

Quiero dar gracias a Dios, mi amado Padre, por pensar en mí desde la eternidad y extenderme su misericordia.

A Jesús, mi Salvador, por morir por mí en la cruz y darme vida en abundancia.

Al Espíritu Santo, mi mejor amigo, quien me ha inspirado a escribir este libro, sin Él jamás lo hubiese logrado.

PRÓLOGO

Es un honor para mí poder escribir el prólogo de este poderoso libro sobre la perseverancia, de mi hijo espiritual pastor y profeta Armando Pérez.

La perseverancia, es uno de los principios más poderosos del Reino de Dios. Todo el que desee ver sus sueños, visiones y proyectos hechos realidad debe ser un visionario y soñador perseverante, todo en la vida exige perseverancia, porque la vida está llena de obstáculos, oposición, enemigos, retos y dificultades.

Jesús no solo enseñó a sus discípulos a orar, sino, también a perseverar, porque el ministerio que se les encargaría exigiría que entre sus capacidades, estuviera la perseverancia. El apóstol Pablo también entendió el poder de la perseverancia y les dijo a los creyentes: No se cansen de hacer el bien, porque a su tiempo, si no desmayamos, cosecharemos.

Vivimos en la época donde muchos quieren ver sus sueños y visiones realizados, pero rápidamente se cansan, desmayan, renuncian, ceden y se rinden ante el primer obstáculo.

Hay una generación actual fofa, débil, sin carácter, sin fuerza para resistir, que solo han sido enseñados para los tiempos de bonanzas, de abundancia, de días soleados y de victoria, pero no han sido enseñados para perseverar en las vacas flacas, en la tormenta, en la cisterna como el joven José y como Pablo y Silas a la medianoche en el calabozo de Filipo.

En mis 45 años de ministerio puedo dar testimonio de que fue la fuerza que libera la perseverancia, que me mantuvo firme y en avance en todas las temporadas. Gloria a Dios por el conocimiento, los dones, los recursos financieros, los recursos humanos, pero gloria a Dios por la perseverancia.

Puedo testificar que el pastor Armando y su esposa, la pastora Candy, son líderes que han mostrado entre muchas características, la perseverancia, los he visto iniciar desde cero y avanzar a pesar de tantos obstáculos y dardos de fuego, gracias a que han activado el poder de la perseverancia.

Ellos han aprendido a perseverar en la medianoche y como Pablo y Silas, cantar himnos a Dios y orar, los he visto perseverar en medio de la tormenta y en lugar de devolverse, han ajustado sus velas para poner a trabajar el viento a su favor e ir más alto que la tormenta de turno.

Te invito a leer este libro con calma, buscando los textos en las escrituras, haciendo un breve resumen después de cada capítulo para que seas parte de la generación perseverante que avanza y conquista. Oro para que vengas a ser parte de la generación perseverante, que no se cansa, no desmaya, no se rinde, hasta que se libere la victoria.

Apóstol Dr. Rafael Osorio
Presidente fundador Red RIAR, Springfield Ma.
Pastor principal Iglesia Apostólica Renovación Shalom
Rio Grande, PR

Introducción

En este libro comparto algunos principios poderosos de la perseverancia, además, testimonios y ejemplos vividos de perseverar hasta alcanzar los propósitos de Dios.

Para hablar de perseverancia necesariamente tengo que hablar de mi Señor Jesucristo, Él es mi mayor ejemplo de perseverancia. La perseverancia de Jesús es impresionante, su entrega, pasión y compromiso es digno de que toda persona de fe las imite.

La perseverancia de Jesús nos motiva cada día a seguir llevando este evangelio del Reino de Dios a todas las naciones. Cuando estudiamos la vida de Jesús entendemos que no fue una tarea fácil, Jesús tuvo que enfrentar grandes oposiciones y batallas desde su nacimiento, hasta su muerte en la cruz.

Al nacer no hubo un lugar para Jesús, solo el pesebre, a los 30 años cuando inició su ministerio tuvo que enfrentar grandes batallas y desafíos; 40 días en el desierto, en ayuno, en una batalla con Satanás, batalla con los fariseos, con los escribas, batallas con los discípulos, con Herodes, batalla en la cruz, clavos en las manos y pies, 39 latigazos en su espalda, una corona de espinas en su cabeza y una lanza en su costado.

Jesús vivió todo este martirio siendo inocente y a pesar de toda esta batalla, Él no se rindió, al tercer día resucitó triunfante sobre el enemigo, venciendo la muerte y el pecado, nada detuvo a Jesús, ningún obstáculo, Él fue perseverante hasta el final y terminó su asignación divina con las siguientes palabras; *"Consumado es". Juan 19:30.* Hoy reina por los siglos de los siglos. Amén. Y eso nos motiva a nosotros a no detenernos.

Por eso decidí escribir este libro, porque en el corazón de Dios para estos días finales, está la perseverancia, muchos hijos de Dios necesitan leer este libro, porque el Señor le está haciendo un llamado a su pueblo a no rendirse.

Regresando de predicar de Lebanon Ohio EEUU, en el año 2022, mientras tomaba el segundo avión en el aeropuerto de Fort Lauderdale, FL., con destino a República Dominicana, el Espíritu Santo me guió a escribir sobre este tema, el cual será de gran ayuda a mis consiervos los pastores y ministros en el Señor, los animo a ser perseverantes y a no rendirse.

Después de una serie de mensajes poderosos sobre el principio de perseverancia, hoy quiero compartirles esta importante obra literaria que le ayudará a correr la carrera que tienes por delante en el Señor.

Dios está llamando a su pueblo a no rendirse, a ser perseverantes. Les invito a leer, predicar y a enseñar a nivel de iglesia y como familia este libro, puedes enseñar por semana un principio, le recomiendo este libro a su equipo de liderazgo, a matrimonios, empresarios y a cada joven.

Les aseguro que sus vidas no serán las mismas después de leer este libro, ustedes empezaran a experimentar que deben levantarse, seguir adelante y cumplir sus propósitos.

Me gustaría mucho escuchar como este libro te ayudo en la realización de tus metas. Puedes enviar tus reacciones al e-mail: lic.armandoperez@gmail.com

Ahora te invito a leer el mismo, ¡Manos a la obra!

1
LLAMADOS A PERSEVERAR

Gálatas 6:9
No nos cansemos, pues, de hacer bien;
porque a su tiempo segaremos, si no desmayamos.

Estamos viviendo los últimos tiempos, Cristo viene por segunda vez y Dios les está haciendo un llamado a sus hijos, a los que Él llamó con propósito eterno a que sean perseverantes, a no rendirse a perseverar en el llamado que Él les hizo.

¿Qué es la perseverancia?

La perseverancia es el principio que niega a rendirse, es mantenerse firme y constante en la manera de ser o de obrar.

Si hay un principio clave para impulsar el llamado de Dios en su vida, se llama perseverancia. Cuando Dios te llamó, Dios no dijo que sería una tarea fácil, pero si te prometió que estaría contigo en cada una de las situaciones.

"Cuando pases por las aguas, yo estaré contigo; y si por los ríos, no te anegarán. Cuando pases por el fuego, no te quemarás, ni la llama arderá en ti. Isaías 43:2

Si todo fuera fácil, entonces no habría razón para luchar, así que, no es tiempo de rendirse, es tiempo de perseverancia. Dios hoy te dice; te estoy llamando a ser perseverante. Recuerde que, Dios respalda al que llama.

La confirmación de tu llamado es el respaldo de Dios, el respaldo de Dios es ese favor divino que no te hace detener por nada. He visto muchas veces que la confirmación del llamado son precisamente esas batallas que enfrentamos, son esas situaciones que han venido por causa de la asignación y el trabajo que hacemos en el Reino de Dios. Si no hubiésemos sido llamados por Dios, no estaríamos enfrentando oposición.

El enemigo no ataca a todo el mundo, no ataca a todas las iglesias, él ataca a los que se oponen a sus planes, a los que no se rinden, a las iglesias que oran, a los que establecen el Reino de Dios, Satanás, sabe lo que usted está haciendo para Dios y eso a él lo incomoda. Pero no se rinda, siga adelante, porque usted cuenta con el respaldo de Dios.

Si usted no estuviese haciendo nada para el Señor, no tuviera esas situaciones, cuando no hay nada porque luchar, no hay nada que enfrentar.

Dios esta con usted y si Dios es por nosotros, ¿Quién en nuestra contra?

¿Qué, pues, diremos a esto? Si Dios es por nosotros, ¿Quién contra nosotros? Romanos 8:31

Recuerde que la tormenta que azotaba la barca vino precisamente porque los discípulos planificaron ir a la otra ribera del río por orden de Jesús, ellos iban al otro lado a una misión importante; liberar a un hombre que por años estaba endemoniado, que más tarde iba a ser un instrumento poderoso en las manos de Dios. Cuando los discípulos se dispusieron a obedecer la orden de Jesús, vino la tormenta. Pero la tormenta vino a ser la confirmación de su obediencia.

Y ya la barca estaba en medio del mar, azotada por las olas; porque el viento era contrario.

Mas a la cuarta vigilia de la noche, Jesús vino a ellos andando sobre el mar.

Y los discípulos, viéndole andar sobre el mar, se turbaron, diciendo: ¡Un fantasma! Y dieron voces de miedo.

Pero en seguida Jesús les habló, diciendo: ¡Tened ánimo; yo soy, no temáis! Mateo 14:24-27.

Lo interesante fue que, Jesús fue quien los invitó a ir al otro lado. En mi país dicen que el que invita paga, por eso tienes que resistir, porque a ti te llamó Dios, recuerde que al que Dios llama siempre respalda.

Entienda algo: Mientras los discípulos no planificaban nada no había tormenta, la tormenta apareció cuando empezaron a hacer lo que les dijo Jesús, no te asombres de las batallas que estas enfrentando, han venido porque tú estás haciendo lo que dijo Jesús, sé perseverante.

La perseverancia también es la capacidad de resistir y soportar, la Biblia dice en Santiago 4:7: *Someteos, pues, a Dios; resistid al diablo, y huirá de vosotros.* Si hay un principio que hace huir al diablo se llama "Perseverancia", he visto que la perseverancia lo reprende, porque el enemigo no se explica cómo es que con tantos ataques que él envía en tu contra, tu sigues adelante y continuas tu asignación divina con expectativas, fe y gozo.

El enemigo huye delante de una persona perseverante, a eso se le llama el poder de la perseverancia en acción. Perseverancia es la capacidad de resistir y oponerse a todo aquello contrario a Dios.

La Biblia dice que el reino de la luz (el Reino de Dios), está en una batalla constante contra el reino de las tinieblas, pero tenemos que recordar que nosotros estamos en una dimensión más alta que el reino de las tinieblas, nosotros estamos sentados juntamente con Cristo en lugares celestiales (en las alturas), Efesios 2:6, y el enemigo está debajo de nuestros pies.

Así que, aunque estemos luchando con un enemigo (diablo) él fue vencido, Jesús lo venció en la cruz, al enemigo le queda poco tiempo, pero a nosotros nos queda una eternidad con Jesús. **¡No te rindas!**

Así que, hoy toma la decisión de levantarte, tú debes de perseverar y seguir adelante, no sueltes el llamado, no abandones tu asignación, tu propósito, tú cuentas con la ayuda del Espíritu Santo, no estás solo, Dios multiplicará tus fuerzas para que avances hacia tu destino.

Le animo a hacer estas declaraciones:

✓ *Diga el débil fuerte soy. Joel 3:10.*

✓ *Él da esfuerzo al cansado, y multiplica las fuerzas al que no tiene ningunas. Isaías 40:29.*

✓ *Todo lo puedo en Cristo que me fortalece. Filipenses 4:13.*

✓ *Ninguna arma forjada en mi contra prosperará. Isaías 54:17.*

Ninguna de las situaciones que han venido a tu vida escapa del plan de Dios. Todo está en el plan de Dios y tú no serás vencido; Dios está usando eso que estás atravesando para que tu vida avance, para que tu ministerio avance, para que tu iglesia avance hacia su destino.

Así como lo lees, Dios se mueve de forma misteriosa, cuando crees que has perdido, has ganado, ganaste experiencia, cuando una puerta se cierra, Dios abre otra, muchas veces cuando Dios está rompiendo está arreglando y cuando está arreglando está rompiendo, así se mueve Dios, y de ante mano te digo; lo que Dios ya tiene lista es tu victoria. ¡ No te rindas!

Esa traición, esa persecución, aquellos sufrimientos, todo eso está acumulado en tu vida y todo lo vivido producirá en ti un eterno peso de gloria.

Porque esta leve tribulación momentánea produce en nosotros un cada vez más excelente y eterno peso de gloria. 2 Corintios 4:17

Así que, avanza y no te detengas en la carrera, si perseveras vas a terminar en victoria y al final dirás como dijo el apóstol Pablo. *He peleado la buena batalla, he acabado la carrera, he guardado la fe. Por lo demás, me está guardada la corona de justicia, la cual me dará el Señor, juez justo, en aquel día; y no solo a mí, sino también a todos los que aman su venida. 2 Timoteo 4:7-8.* Pablo pudo decir estas palabras porque perseveró hasta el final.

¡Persevera, no te rindas!

2

EL PODER DE LA PERSISTENCIA

Isaías 26:3
Tú guardarás en completa paz a aquel cuyo pensamiento en ti persevera; porque en ti ha confiado.

Dios a cada persona le dio la capacidad de ser perseverante. La persistencia o perseverancia es un poder sobrenatural que nos impulsa alcanzar nuestras metas, la persistencia es superior a como nos podamos sentir, es un poder que nos hace creer más allá de lo que vemos, la persistencia es ese poder que te hace ir hacia adelante contra todo pronóstico.

Cuando usted es una persona perseverante no importan los obstáculos que puedan venir, usted los vence y sigue avanzando, de eso se trata, de seguir hacia adelante. Con los procesos la vida no se te acaba, lo mejor viene en camino, debes seguir adelante.

Lee esto: La historia no dice nada de los que se rindieron, la historia testifica de aquellos que perseveran hasta el final. Defino la perseverancia como el poder que libera el potencial que tenemos, pero desconocemos, libera el potencial de resistir, de seguir, de avanzar, de estar firme en medio de una situación o noticia inesperada y no abandonar. Muchas veces no sabemos de qué estamos hechos, hasta que vienen las pruebas.

Perseverancia es esa unción sobrenatural que nos hace ir más arriba; persistencia es mantener la mirada puesta en Jesús, el autor y consumador de nuestra fe.

Puestos los ojos en Jesús, el autor y consumador de la fe, el cual por el gozo puesto delante de Él sufrió la cruz, menospreciando el oprobio, y se sentó a la diestra del trono de Dios. Hebreos 12:2.

El apóstol Pablo es un ejemplo de persistencia.

Cuando leo las cartas del apóstol Pablo, encuentro a un hombre perseverante y digno de imitar, cada uno de nosotros debe imitar al apóstol Pablo, incluso debemos de leer sus cartas una y otra vez, debemos de leer las historias de los héroes de la fe todas las veces que podamos, para que nuestra vida esté inspirada constantemente. Los héroes de la fe fueron personas perseverantes que nos impulsan hoy día a seguir hacia adelante. Hay tanto que contar de los héroes de la fe.

¿Y qué más digo? Porque el tiempo me faltaría contando de Gedeón, de Barac, de Sansón, de Jefté, de David, así como de Samuel y de

los profetas; que por fe conquistaron reinos, hicieron justicia, alcanzaron promesas, taparon bocas de leones,

Apagaron fuegos impetuosos, evitaron filo de espada, sacaron fuerzas de debilidad, se hicieron fuertes en batallas, pusieron en fuga ejércitos extranjeros. Hebreos 11:32-34.

Todos ellos avanzaron porque fueron perseverantes, cuando leemos al apóstol Pablo, vemos que nada lo detuvo en el camino; siempre mantuvo sus ojos puestos en Jesús, el autor y consumador de la fe.

El poder de Dios se manifestó a través de la perseverancia del apóstol, ningún obstáculo, ninguna prueba detuvo a Pablo, porque él activó el principio poderoso de la persistencia. Pablo mismo testifica las situaciones que tuvo que atravesar en el ministerio.

¿Son ministros de Cristo? (Como si estuviera loco hablo.) Yo más; en trabajos más abundante; en azotes sin número; en cárceles más; en peligros de muerte muchas veces.

De los judíos cinco veces he recibido cuarenta azotes menos uno.

Tres veces he sido azotado con varas; una vez apedreado; tres veces he padecido naufragio; una noche y un día he estado como náufrago en alta mar;

En caminos muchas veces; en peligros de ríos, peligros de ladrones, peligros de los de mi nación, peligros de los gentiles, peligros en la ciudad, peligros en el desierto, peligros en el mar, peligros entre falsos hermanos;

En trabajo y fatiga, en muchos desvelos, en hambre y sed, en muchos ayunos, en frío y en desnudez;

Y además de otras cosas, lo que sobre mí se agolpa cada día, la preocupación por todas las iglesias. 2 Corintios 11:23-28

Cuando leemos estas cosas que el apóstol Pablo pasó, tenemos que concluir diciendo: rendirnos no es una opción. Vamos a perseverar.

3

LOS BENEFICIOS DE LA PERSEVERANCIA

1 Reyes 19:7
Y volviendo el ángel de Jehová la segunda vez, lo tocó,
diciendo: Levántate y come, porque largo
camino te resta.

Como todos los principios de fe tienen grandes beneficios, así es la perseverancia. Dios premia nuestra perseverancia.

He aquí yo vengo pronto, y mi galardón conmigo, para recompensar a cada uno según sea su obra. Apocalipsis 22:12

Veamos un ejemplo de que Dios desea que seamos perseverantes: Después que el profeta Elías derrotó a los 450 profetas de Baal en el Monte Carmelo, vino un ataque de parte de Jezabel y el rey Acab, Dios le había dado la victoria a Elías. Pero Jezabel lo amenazó con quitarle la vida.

¡Siempre que Dios nos da la victoria, debemos estar preparados para cuando venga el ataque del enemigo! Pero nuestro Dios es mayor que el ataque.

Entonces envió Jezabel a Elías un mensajero, diciendo: Así me hagan los dioses, y aun me añadan, si mañana a estas horas yo no he puesto tu persona como la de uno de ellos.

Viendo, pues, el peligro, se levantó y se fue para salvar su vida, y vino a Beerseba, que está en Judá, y dejó allí a su criado.

Y él se fue por el desierto un día de camino, y vino y se sentó debajo de un enebro; y deseando morirse, dijo: Basta ya, oh Jehová, quítame la vida, pues no soy yo mejor que mis padres.

Y echándose debajo del enebro, se quedó dormido; y he aquí luego un ángel le tocó, y le dijo: Levántate, come. 1 Reyes 19:2-5.

Mientras Elias pensaba en rendirse, Dios le daba trabajo. El Señor le envió un ángel con una agenda divina a decirle al profeta; come y bebe que largo camino te resta. En otras palabras, el Señor le decía; Elias quiero que seas perseverante, tu ministerio no ha terminado, no es tiempo de rendirse, así que come y bebe que largo camino te resta, ahora es que vamos.

Las batallas están confirmando tu llamado, no se rinda por las batallas, porque son parte del llamado, usted sirve al Dios Todopoderoso, el cual no ha perdído una sola batalla; siga confiando, Dios le dará la victoria, Él hará algo grande en su vida.

Jezabel amenazó a Elías de muerte apoyándose en sus dioses, pero ya los dioses no existían porque el profeta Elías los había exterminado a todos, así que, Jezabel no contaba con nadie, fueron sus palabras amenazantes las que intimidaron a Elías.

Usted decide cuales palabras obedecerá, si a la voz de Dios, o las palabras del enemigo. Jezabel no tiene más poder que el Dios del cielo, por eso Dios envió un ángel a Elias a decirle; levantate, come y bebe, que largo camino te resta; en otras palabras, "Sé Perseverante", tú ministerio no ha terminado, tu asignación divina no ha terminado todavía. Sí yo te di la victoria para derrotar a 450 falsos profetas, a Jezabel y Acab te los comerás como pan.

¿Quién es Jezabel? En el Antiguo Testamento era una mujer (*1 Reyes 19:2*), hoy es un espíritu (*Apocalipsis 2:20*) que busca matar los cinco oficios ministeriales. El espíritu de Jezabel odia lo apostólico y profético, el mover del Espíritu Santo, la paternidad espiritual, el principio de autoridad y los diseños de Dios para la familia y la nación, la descomposición social y pérdida de valores que vemos hoy es producto de Jezabel. Por eso necesitamos que los Elías de hoy se levanten.

El ángel le dijo al profeta Elías: *Y volviendo el ángel de Jehová la segunda vez, lo tocó, diciendo: Levántate y come, porque largo camino te resta. 1 Reyes 19:7.* Elías no había terminado su asignación divina, aún le faltaba un largo camino por recorrer. Veamos ahora el trabajo que el profeta Elías tenía por delante:

> *Y le dijo Jehová: Ve, vuélvete por tu camino, por el desierto de Damasco; y llegarás, y ungirás a Hazael por rey de Siria.*

> *A Jehú hijo de Nimsi ungirás por rey sobre Israel; y a Eliseo hijo de Safat, de Abel-mehola, ungirás para que sea profeta en tu lugar.*

> *Y el que escapare de la espada de Hazael, Jehú lo matará; y el que escapare de la espada de Jehú, Eliseo lo matará.*

> *Y yo haré que queden en Israel siete mil, cuyas rodillas no se doblaron ante Baal, y cuyas bocas no lo besaron. 1 Reyes 19:15-18*

Cuanto le faltaba todavía a Elías, el cual creía que había llegado al final de su ministerio. Son muchas las cosas que puedes lograr en la vida si eres perseverante.

Beneficios de ser perseverante:

✓ Alcanzará sus metas.

✓ Cumplirá en total su asignación divina.

✓ Dejará un legado de fe y perseverancia a la próxima generación.

✓ Su perseverancia será recompensada en el cielo y recordada en la tierra.

✓ Las próximas generaciones lo recordarán como una persona valiente y perseverante, de fe, que no se rindió, que siguió hacia adelante y cumplió en victoria su asignación.

Las próximas generaciones necesitan que usted sea perseverante, esa será la huella que ellos han de seguir y el ejemplo de fe que han de abrazar. Dios va a recompensar su perseverancia, su entrega, su compromiso y su llamado.

La perseverancia nos ayuda alcanzar el éxito; el éxito en gran parte es el resultado del esfuerzo y la perseverancia.

El éxito es una sumatoria que hay que pagar con esfuerzo, de lágrimas, de un trabajo que hay que hacer para llegar a donde anhelamos llegar. El éxito no es para el más bonito, no es para el de ojos verdes, no es para el flaco o delgado, el éxito es un lugar que está allí para que tu persigas tu sueño; te puede costar un día o tres, a otros le puede costar media mañana a otros 30 años, pero está disponible para todos. Con perseverancia se logra.

Ejemplos de perseverancia:

✓ **El rey David**

Cuando David iba a enfrentarse con el gigante Goliat, jamás pensó que esa hazaña se convertiría en la puerta para llegar a palacio. Ser perseverante tiene beneficios, te abrirá grandes puertas, te ayuda a cumplir tu asignación, a completar tu agenda y a cumplir tus sueños. ¡Persevera! Muchos se rinden antes de ver al gigante, pero otros deciden enfrentarlo y vencerlo.

David fue perseverante en la batalla contra el gigante Goliat, al punto que lo venció, el gigante cayó y David llegó al palacio.

> *Entonces dijo David al filisteo: Tú vienes a mí con espada y lanza y jabalina; más yo vengo a ti en el nombre de Jehová de los ejércitos, el Dios de los escuadrones de Israel, a quien tú has provocado.*
>
> *Jehová te entregará hoy en mi mano, y yo te venceré, y te cortaré la cabeza, y daré hoy los cuerpos de los filisteos a las aves del cielo y a las bestias de la tierra; y toda la tierra sabrá que hay Dios en Israel. 1 Samuel 17:45-46*

David derrota a Goliat:

> *Y aconteció que cuando el filisteo se levantó y echó a andar para ir al encuentro de David, David se dio prisa, y corrió a la línea de batalla contra el filisteo.*
>
> *Y metiendo David su mano en la bolsa, tomó de allí una piedra, y la tiró con la honda, e hirió al filisteo en la frente; y la piedra quedó clavada en la frente, y cayó sobre su rostro en tierra.*
>
> *Así venció David al filisteo con honda y piedra; e hirió al filisteo y lo mató, sin tener David espada en su mano. 1 Samuel 17:48-50*

✓ El líder Josué

Cuando leemos la historia de Josué y la conquista de la tierra prometida, nos damos cuenta de que los que conquistaron la tierra de Canaán, fueron la generación perseverante. *(Leer Josué 6)*. Aquellos que se atrevieron a cruzar las aguas del río Jordán, aquellos que rodearon los muros de Jericó y dieron 13 vueltas y los muros de la ciudad cayeron.

Fue la perseverancia la que hizo que la nueva generación conquistara la tierra prometida. La Biblia dice que por la fe y la paciencia se alcanzan las promesas de Dios. *Hebreos 6:12.*

Esos son algunos de los beneficios que usted va a recibir a causa de su perseverancia. Si usted activa la perseverancia cumplirá sus sueños y todo muro de oposición en su contra va a caer.

El problema que he visto es que muchas personas quieren ver las promesas de Dios en su vida, pero no quieren perseverar hasta el final. Queremos el cumplimiento de los sueños, sin esfuerzo, queremos el éxito fácil, sin pagar el precio, queremos llamado sin retos, ni oposición.

He visto que muchos quieren que los muros en su vida se caigan, pero sin dar las 13 vueltas, solo con dar dos vueltas. Los muros de Jericó cayeron cuando completaron las 13 vueltas, y aquel día hubo una gran fiesta, sonidos de trompetas y gritos de victoria, porque a causa de su perseverancia en dar las vueltas alrededor de los muros, los mismos cayeron y el beneficio recibido fue la conquista de la tierra prometida.

Si queremos ir por más vamos a necesitar ser perseverantes una y otra vez. La perseverancia es todo en la vida, la perseverancia es clave para llevar una familia, la crianza de los hijos, el trabajo, emprender un negocio y mantenerlo, completar los estudios hasta graduarse, etcétera.

La perseverancia es el principio que nos impulsa a seguir hacia adelante una y otra vez sin rendirnos. Es la capacidad que nos da de creer una y otra vez; toda la Biblia nos habla de perseverancia con ejemplos de hombres y mujeres que Dios llamó para la realización de sus propósitos divinos en la tierra. ¡Sé perseverante!

4
NO TE RINDAS

Lucas 8:43-44.
Pero una mujer que padecía de flujo de sangre desde
hacía doce años, y que había gastado en médicos todo
cuanto tenía, y por ninguno había podido ser curada.
Se le acercó por detrás y tocó el borde de su manto; y al
instante se detuvo el flujo de su sangre.

Alguien dijo una vez, que si nos rendimos entonces gana el enemigo. He visto muchas veces que cuando estamos próximo a la victoria o al cumplimiento de promesas, muchos piensan en rendirse, mientras más cerca estamos de ver una salida a nuestros problemas, es cuando más fe y perseverancia debemos tener.

Dios a cada persona le dio una medida de fe y con esa fe usted va a vencer. Así que, use la fe que Dios le dio y no se rinda, si nos rendimos de qué valió el esfuerzo.

Algunos se rinden porque sienten que no podrán, se rinden por situaciones tan absurdas que no pueden superar y seguir adelante, algunos se rinden comenzando, otros a mitad de camino, pero solo los perseverantes llegan hasta el final. Después de estudiar la vida de Jesús, entiendo que no hay justificación para rendirse.

Una vez conocí a una persona que se rindió antes iniciar, no había comenzado y ya en su mente había pensado rendirse. Cuando leemos en la Biblia la vida de los hombres y mujeres de Dios, aprendemos de ellos, que rendirse no es una opción.

El primer ejemplo de tantos que aparecen en la Biblia, que personalmente a mí me ha impactado toda la vida, es la mujer del flujo de sangre.

Pero una mujer que padecía de flujo de sangre desde hacía doce años, y que había gastado en médicos todo cuanto tenía, y por ninguno había podido ser curada,

Se le acercó por detrás y tocó el borde de su manto; y al instante se detuvo el flujo de su sangre.

Entonces Jesús dijo: ¿Quién es el que me ha tocado? Y negando todos, dijo Pedro y los que con Él estaban: Maestro, la multitud te aprieta y oprime, y dices: ¿Quién es el que me ha tocado?

Pero Jesús dijo: Alguien me ha tocado; porque yo he conocido que ha salido poder de mí.

Entonces, cuando la mujer vio que no había quedado oculta, vino temblando, y postrándose a sus pies, le declaró delante de todo el pueblo por qué causa le había tocado, y cómo al instante había sido sanada.

Y Él le dijo: Hija, tu fe te ha salvado; ve en paz.
Lucas 8:43-48

Cuando leemos esta historia y observamos nuestros problemas, nos damos cuenta de que no se comparan con lo que ella atravesó, podemos ver que la fe de la mujer del flujo de sangre es impactante, debemos imitarla y no rendirnos.

Estuvo 12 años creyendo que podía ser sana de su enfermedad, se mantuvo 12 años visitando médicos y ninguno podía hacer nada, estuvo escuchando por 12 años una palabra negativa, pero su fe era mayor.

Había gastado todo cuanto tenía en los médicos, pero aún seguía creyendo, los médicos la habían desahuciado; además de su enfermedad, vino una crisis económica, lo había gastado todo, pero su fe y su perseverancia estaban intactas, no había una cura para su enfermedad, pero aun así ella seguía creyendo que podía ser sana. Esa es la clave, **"Seguir creyendo"**.

Esta mujer me impacta, porque se mantuvo creyendo y perseverando 12 años hasta alcanzar su milagro; me impacta, porque muchas personas que atraviesan un proceso mínimo se rinden, pero esta mujer estuvo 12 años creyendo que podía ser sana y humanamente no veía una cura, y aun así no se rindió hasta que llegó la recompensa de su fe, la oportunidad de ser sana.

Jesús iba pasando cerca y ella al escuchar que iba Jesús sanando a los enfermos, no dejó pasar su oportunidad y se atrevió a caminar por encima de su dolor hasta alcanzarlo. Cuando no pudo caminar más por el dolor de la enfermedad, no se rindió, sino que se arrastró en medio de la multitud y del polvo, hasta llegar donde estaba Jesús; se atrevió y venció sus complejos, pues por causa de su enfermedad la habían declarado inmunda, pero ella se arrastró por todo el camino de piedras hasta que tocó el borde del manto de Jesús, y al instante fue sanada completamente.

> *Entonces Jesús dijo: ¿Quién es el que me ha tocado? Y negando todos, dijo Pedro y los que con Él estaban: Maestro, la multitud te aprieta y oprime, y dices: ¿Quién es el que me ha tocado?*

> *Pero Jesús dijo: Alguien me ha tocado; porque yo he conocido que ha salido poder de mí.*

> *Entonces, cuando la mujer vio que no había quedado oculta, vino temblando, y postrándose a sus pies, le declaró delante de todo el pueblo por qué causa le había tocado, y cómo al instante había sido sanada.*

Y Él le dijo: Hija, tu fe te ha salvado; ve en paz.
Lucas 8:45-48

Yo quiero decirle a usted que rendirse no es una opción. A Jesús lo tocan aquellos que perseveran, las personas que no se rinden son los que reciben su milagro, a Jesús lo tocan las personas cargadas de fe.

Lo que mueve a Dios es nuestra fe y perseverancia.

Hay milagros que se liberan por causa de nuestra perseverancia. Crea por el suyo también, ahora mismo tome la decisión de no rendirse. Repita cada día esta declaración: "No me voy a rendir, sigo adelante en el nombre de Jesús". Amén

5

EL LLAMADO
DE DIOS

Jeremías 1:5
Antes que te formase en el vientre te conocí, y antes que
nacieses te santifiqué, te di por profeta a las naciones.

Cuando Dios llama a un hombre o a una mujer a servirles en su reino, siempre tendrán algo que dejar y soltar por el llamado de Dios. En el año 2008 inicié como evangelista y profeta de Dios predicando en mi país, luego en el año 2013 Dios me llama al ministerio pastoral junto a mi esposa, la pastora Candy, y nos da una visión para esta nación.

Iniciamos el ministerio Cristo Rey de Reyes en la sala de nuestra pequeña vivienda, para ese momento, éramos solamente mi suegra, mi esposa y yo. Nuestro llamado también fue confirmado por profetas y a través de nuestros padres espirituales, los apóstoles Rafael y Loyda Osorio. Allí comenzamos la visión de Dios, la cual hoy día es una realidad que impacta y trasforma vidas con el mensaje del evangelio.

En el año 2020 ya era demasiado el trabajo en el ministerio pastoral, entonces, Dios me pidió dejar el trabajo secular después de haber estado en una posición donde tenia recursos estables y 10 años de labor en la empresa. Pero el Señor me estaba llamando al ministerio y me dijo: Deja el trabajo y dedícate por completo a mi obra.

Fue retador para mí vivir por fe, pues tengo familia que depende de Dios y luego de mí, tengo dos hijos y no tenía sueldo fijo en la iglesia. Pero Dios me estaba ordenando dejar el trabajo para dedicarme al ministerio a tiempo completo, obedecí a Dios, y le creí. El Señor no me ha fallado, nada me ha faltado, me ha respaldo, ha estado conmigo y mi familia en todo. ¡A Dios gracias!

Han venido tiempos difíciles, pero su favor ha estado conmigo y mi familia. A lo largo de estos años hemos aprendido la importancia de la perseverancia en Dios, si hay un principio clave para avanzar en el llamado de Dios, se llama perseverancia. El llamado de Dios siempre será diferente a un trabajo secular o medio de sustento. Pues Dios es el jefe y es quien bendice, por lo tanto nosotros debemos responder a Él con agradecimiento.

Mientras trabajaba secularmente, Dios me permitió levantar la primera iglesia en Santo Domingo, República Dominicana. Una iglesia con visión que sabe el propósito de su existencia, donde familias sirven a Dios, es una iglesia que opera en los cinco oficios ministeriales y que impacta con el evangelio del Reino de Dios la ciudad.

Luego, paralelamente, fuimos de misiones para levantar la segunda iglesia hija, en el sector de Haina, perteneciente a la provincia de San Cristóbal, y la misma impacta la zona de Haina Sur. No fue una tarea fácil, trabajar secularmente 10 años y pastorear, pero hicimos la misión, fuimos perseverantes y Dios nos ha respaldado en todo. A Dios sea la gloria porque nunca nos ha dejado.

Recuerdo que en el trabajo secular, durante mi hora de almuerzo, preparaba mensajes y muchas veces también los realizaba en las madrugadas, por la tarde salía de mi jornada de trabajo y me iba directo a los servicios de la iglesia para predicar.

No fue fácil, trabajar secularmente y pastorear a la misma vez, es muy retador, pero Dios me ayudó.

A veces terminaba de predicar y tenía que volver a trabajar en las noches para completar mi agenda de trabajo. Pero fui perseverante, no me rendí en el proceso, ahora después de los años sirvo a tiempo completo trabajando en la obra de mi Padre Eterno. Por eso les digo, sean perseverantes en su llamado, Dios es quien llama y es quien va a sustentar. ¡El abrirá las puertas!

El llamado de Dios requiere oración constante, dedicarle tiempo al estudio de la Palabra, orar por sabiduría de lo alto, consagrarte a Dios, separar días para ayunar y orar. Muchas veces sentirás que debes ocuparte en otras cosas y vas a creer que puedes hacerlas, lo intenté y no pude; después que el Señor te llama, no hay forma de soltar lo que Él te mando a hacer y ocuparte de otra tarea.

El corazón humano genera muchos proyectos, pero al final prevalecen los designios del Señor. Proverbios 19:21 NVI.

Cuando Dios llama a un hombre o una mujer, su llamado puede más que todo. Esto testifica el profeta Jeremías:

Si digo: «No me acordaré más de Él, ni hablaré más en su nombre», entonces su palabra en mi interior, se vuelve un fuego ardiente que me cala hasta los huesos. He hecho todo lo posible por contenerla, pero ya no puedo más. Jeremías 20:9 NVI

El llamado que nos hace el Padre, es un trabajo de honor. Hoy quiero invitarte a que no abandones la tarea que te está demandando el Señor, no importa la circunstancia que puedas estar pasando, se fuerte y valiente y persevera hasta el final. *Pero tú, sé sobrio en todo, soporta las aflicciones, haz obra de evangelista; cumple tu ministerio. 2 Timoteo 4:5*

6

TESTIMONIO FAMILIAR

Como familia nos ha tocado creerle a Dios y ser perseverantes, en el año 2020 nació nuestro segundo hijo, yo le llamo mi segunda bendición; mi hijo Abraham Pérez, a quien amo con todo mi corazón. Nuestro hijo nació con una condición de salud en su cerebro, según el informe dado por los médicos.

Durante la pandemia estuvimos atravesando un momento difícil, pues mi hijo Abraham acababa de nacer bajo condiciones médicas de salud riesgosas, en su gestación le faltó desarrollar un órgano en su cerebro, esto le ha estado impidiendo que pueda coordinar las funciones de sus hemisferios, además mi hijo tiene microcefalia; no ha sido fácil para nosotros como familia enfrentar estas situaciones, pero hemos sido perseverantes y seguimos creyéndole a Dios en medio de la adversidad.

A pesar de todo lo vivido, hemos seguido hacia adelante trabajando en el Señor y atendiendo a nuestros hijos. No hemos descuidado ni una parte, ni la otra, Dios nos ha ayudado, nuestra pasión por el Señor y por las almas cada vez aumenta mucho más.

Jesús dijo que iban a venir momentos difíciles, a los hijos de Dios nos acontece, pero en medio de cada tormenta y tribulación debemos aprender a confiar en el poder de Dios: *Estas cosas os he hablado para que en mí tengáis paz. En el mundo tendréis aflicción; pero confiad, yo he vencido al mundo. Juan 16:33.*

Seguimos avanzando, seguimos creyendo, perseverando y sin rendirnos, llevando nuestro hijo a los médicos, dándole sus medicamentos de los cuales toma 7 diarios y creyendo que seguirá recuperando su salud como lo ha venido haciendo. Pero Dios ha sido más que bueno y hemos visto su mano poderosa y nos ha bendecido con nuestro hijo Abraham.

Toda mi familia sirve al Señor, mi amada esposa la pastora Candy, mi ayuda idónea y mis dos hijos Sarah y Abraham. Toda mi familia ha sido consagrada y dedicada al Señor, juntos trabajamos incasablemente en el ministerio, ayudando a la gente e impulsando la visión que Dios nos ha dado.

Dios nos ha permitido atender a nuestra familia y a la iglesia sin descuidar ni una parte, ni la otra, reconociendo que Dios es nuestra prioridad.

Para mi esposa y para mí no ha sido tarea fácil, para ella como madre es mucho más difícil, he tenido que ser valiente y perseverante para darle fuerza a mi familia y ayudarles a entender de que el Dios que nos llamó, está con nosotros en todo, en las dificultades, así como en las bendiciones, en lo alto, como en lo más bajo.

Nosotros le motivamos a usted a seguir adelante, a no detenerse, a no rendirse, a ser perseverante, yo creo lo que Dios hará en su vida, así que levántese y abrace su promesa.

A mi hijo Abraham nada le ha faltado, todos sus medicamentos Dios los ha suplido, a mi hija Sarah nada le ha faltado, es una niña preciosa, inteligente, educada, mi primera bendición; mis dos hijos tienen un llamado poderoso, ambos impactan vidas, nuestro testimonio como familia está salvando y ganando vidas para el reino de los cielos.

No te detengas, recuerda que cuentas con el respaldo de Dios. **"Sé perseverante"**, el Padre Eterno está contigo en todos los tiempos.

Cuando pases por las aguas, yo estaré contigo; y si por los ríos, no te anegarán. Cuando pases por el fuego, no te quemarás, ni la llama arderá en ti. Isaías 43:2

7

CORRE LA CARRERA QUE TIENES POR DELANTE

Hebreos 12:1 NVI
Por tanto, también nosotros, que estamos rodeados de una multitud tan grande de testigos, despojémonos del lastre que nos estorba, en especial del pecado que nos asedia, y corramos con perseverancia la carrera que tenemos por delante.

Una vez escuche las siguientes palabras: "No te quedes a mitad del camino, es tiempo de correr la carrera que tenemos por delante". Quedarse en el suelo o a mitad de camino no es una opción inteligente, hay que llegar hasta el final, hay que llegar a la meta, debemos recordar que no es como se comienza sino como se termina. El patriarca Job dijo:

Y aunque tu principio haya sido pequeño, tu postrer estado será muy grande. Job. 8:7

Continuar avanzando debe ser tu visión, debe ser tu norte para seguir y debes tener ese objetivo bien claro cada día, además debes orar pidiendo a Dios por ese objetivo.

No te descalifiques, recuerda que Dios llama a los que no califican y los usa para su gloria. Dios usa al vil y menospreciado para avergonzar al que se creé sabio, Moisés tartamudeaba, Zaqueo era de baja estatura, Abraham era viejo, Gedeón era inseguro, Sarah era estéril y todos fueron instrumentos poderosos en las manos de Dios.

Dios no escoge a los capaces, Dios capacita a los escogidos, esto no se trata de títulos (son buenos), sino que se trata de obediencia. La obediencia no se aprende con los títulos, se aprende haciendo la voluntad de Dios aunque dicha voluntad no nos agrade, los títulos no son malos, pero la obediencia nace del corazón.

Quizás han llegado a tu mente pensamientos de rendirte y tirar la toalla para no correr la carrera que tienes por delante, pero creo que después de leer este libro, no lo harás. Además, Jesús nunca lo hizo por amor a ti.

Algunos se rinden por un error, si la razón de rendirte es porque has cometido algún error o algo no te salió como esperabas, recuerda que no estás exento de cometer errores, el único que no comete errores es el que nada hace.

Quizás has pasado momentos de desilusión, o algunas cosas no salieron como esperabas, pero nada de eso puede detenerte en la carrera que tienes por delante.

No te distraigas del propósito de Dios, no escuches la voz del enemigo, no te distraigas por nada, mantente firme. Levántate y corre la carrera que tienes por delante.

Este libro es un llamado de Dios para que continúes avanzando, no le des poder a las cosas negativas, sé positivo y corre la carrera que tienes por delante.

¿No sabéis que los que corren en el estadio, todos a la verdad corren, pero uno solo se lleva el premio? Corred de tal manera que lo obtengáis.
1 Corintios 9:24

La vida cristiana es como una carrera en la que muchos empiezan, pero pocos terminan. Debemos de correr la carrera de la fe hasta cumplir todo el propósito de Dios, una vez lleguemos al cielo allí se nos premiará.

Su señor le dijo: Bien, buen siervo y fiel; sobre poco has sido fiel, sobre mucho te pondré; entra en el gozo de tu señor. Mateo 25:23

La clave para seguir adelante en la carrera de la fe se llama perseverancia, esa es la clave para llegar a la meta, para proseguir y alcanzar el premio del supremo llamamiento de Dios en Cristo Jesús.

Cuando terminemos la carrera, entonces nos graduaremos y podremos citar el discurso más poderoso:

He peleado la buena batalla, he acabado la carrera, he guardado la fe. Por lo demás, me está guardada la corona de justicia, la cual me dará el Señor, juez justo, en aquel día; y no solo a mí, sino también a todos los que aman su venida. 2 Timoteo 4:7-8

¡Corre la carrera que tienes por delante!

8
PERSEVERANDO EN LA VISIÓN

Habacuc 2:2-3
Y Jehová me respondió, y dijo: Escribe la visión, y declárala en tablas, para que corra el que leyere en ella. Aunque la visión tardará aún por un tiempo, más se apresura hacia el fin, y no mentirá; aunque tardare, espéralo, porque sin duda vendrá, no tardará.

Las personas tienden a ser perseverantes cuando tienen una firme comprensión de sus propósitos, saben hacia donde van, y confían en que lo lograran. Tu persistencia es la manifestación de la convicción que tienes sobre tu futuro, basado en las visiones que te han sido dadas para tu vida. La visión te impacta, te marca y te permite ver el futuro, pero la convicción de saber que esa visión se realizará alimenta tu persistencia.

Los verdaderos líderes creen que la realización de sus propósitos no es opcional, sino que es una obligación y una necesidad, por lo que nunca pueden pensar en rendirse.

¿Por qué necesitas ser persistente?

1. Porque los sueños, visiones, proyectos y ministerios, que se te han encargado demandan y exigen una gran inversión de tiempo. Las grandes visiones demandarán tiempo, las grandes cosas no se construyen en un día, a veces toman generaciones, por lo tanto, si quieres avanzar en la consecución de tus visiones o metas, necesitaras persistencia y paciencia. Que, aunque pasen los días, las semanas y los años, puedas mantenerte ocupado en la realización de tu proyecto.

Toma el caso de Josué en la conquista de Jericó. El elemento de la persistencia fue clave para alcanzar su meta. Por seis días Josué convoca al pueblo en la mañana, lo organizaba en un orden y un protocolo estricto, marchaban alrededor de la ciudad amurallada y luego volvían a su campamento. Al séptimo día rodearon la ciudad siete veces siguiendo el mismo orden y protocolo, solo al final de la séptima vuelta pudieron gritar y tocar las trompetas, para entonces ver el resultado de su persistencia (ver como caían las murallas). Siete largos días y 13 largas vueltas alrededor de toda aquella gran muralla.

Hoy en día tenemos muchas personas de gran entusiasmo y entrega, pero solo por dos o tres vueltas, cuando ven "que nada está pasando", se niegan a dar una vuelta más, cuando ven que las cosas no suceden en el tiempo que ellos quieren, se desaniman y se rinden.

Sin embargo, los líderes al estilo de Josué saben que sus metas requieren tiempo, esfuerzo y consistencia. Es por eso que arrebatan la victoria y la realización de sus sueños, por su persistencia, ellos dan todas las vueltas que tienen que dar, y consumen el tiempo que tengan que invertir en impulsar la visión.

2. Necesitamos persistencia, porque nuestros proyectos y metas van a experimentar oposiciones de todo tipo.

Las personas persistentes saben que el camino para la realización de sus metas no es un camino limpio, ancho, iluminado, seguro y rodeado solo de personas que te animan y te ayudan, es un camino con muchos obstáculos y oposiciones.

Encontraras oposición de otras personas que entienden que su encomienda es impedir que alcances tus metas, y oposición de la dimensión espiritual; esto es del reino de las tinieblas conforme a **Efesios 6:11-12**. El peor de los casos es cuando hay una alianza entre la dimensión humana y la espiritual para detener tu ministerio, tu propósito y la visión.

Este fue el caso de José, vendido como esclavo y pasó tiempo en la cárcel injustamente; Daniel con los demás líderes de gobierno que le tenían envidia y le hicieron un complot; Nehemías con Sanbalat, Tobías y Gesem el árabe, que se oponían a la misión; Pablo recibió oposición de gentiles, de judíos y aun de los mismos hermanos en la fe. La presión viene día tras días a través de críticas, burlas, acusaciones, difamación, complot y persecución; atacando tu reputación con el único fin de hacerte renunciar y que tires la toalla, por eso, la visión necesita que seas persistente para poder pasar a través de todo tipo de oposición y obstáculos.

Nehemías fue un líder persistente, él se negó a renunciar a pesar de todas las estrategias de Sanbalat. Él le dijo a la oposición: *"El Dios de los cielos, Él nos prosperará, y nosotros sus siervos nos levantaremos y edificaremos". Nehemías. 2:20.*

3. Necesitamos persistencia para superar nuestros fracasos y errores. Toda persona en la consecución de sus metas y a lo largo de su liderazgo va a experimentar fracasos, ya hemos enseñado que todas las personas que han alcanzado el éxito han experimentado fracasos, pero han persistido y no han permitido que un fracaso los convierta en un fracasado.

La persistencia en lograr tus sueños y metas, te impulsan a volverte a levantar y a intentarlo de nuevo. Gracias a la persistencia, los hermanos Wright, lograron realizar su sueño de crear una máquina que rompiera la ley de la gravedad (el avión); Thomas Alva Edison creo la bombilla; Lincoln llegó a la presidencia; Louis Pasteur creo la vacuna y Max Lucado se convirtió en un escritor "best Sellers", después de que sus manuscritos fueron rechazados más de 12 veces en línea por casas editoras.

Ahora le toca a usted. ¡Tú visión avanza cuando eres perseverante!

9

TESTIMONIOS IMPACTANTES DE PERSEVERANCIA

Mateo 24:14
Y será predicado este evangelio del reino en todo el mundo, para testimonio a todas las naciones; y entonces vendrá el fin.

Creo de todo corazón que todo líder debe aprender a perseverar en el llamado de Dios. Considere los siguientes ejemplos que muestran los resultados del principio de la perseverancia.

✓ La viuda de Lucas 18 y el juez injusto: Ella persistió en su oración, en su petición, día tras día recibía por respuesta un "No", pero siguió persistiendo hasta que agotó la paciencia del juez injusto, y se le hizo justicia. **(v5).**

✓ La mujer del flujo de sangre de Lucas 8:43-48. Durante 12 años estuvo batallando con su salud, gastó todo su dinero en los médicos y no recibía sanidad, vivió crisis económica, pero aun así no se rindió, fue perseverante. Un día Jesús pasaba cerca de su casa y ella se atrevió a tocar el borde de su manto, pero a causa del dolor de su enfermedad no pudo caminar y aun así no se rindió, empezó a arrastrarse hasta que tocó el borde del manto de Jesús, y fue sanada instantáneamente. Jesús le dijo: *Hija, tu fe te ha salvado, ve en paz. (v47-48).*

✓ Cuando Jesús pasaba cerca, Bartimeo comenzó a gritarle para que lo sanara, pero su oración tuvo oposición, la gente lo mando a callar, sin embargo, Bartimeo persistió en su oración. Dice el relato que gritó más fuerte, él siguió pidiendo y orando hasta que Jesús lo atendió y recibió su milagro. **(Lucas 18:38-39).**

✓ El patriarca Jacob luchó con el ángel del Señor toda la noche en Peniel. Aquella fue la noche donde Jacob se encontró con su destino, él pasó de ser Jacob, el engañador, a ser Israel, el príncipe de Dios, y así dar continuidad a la promesa que Dios le hizo a Abraham. Jacob paso toda la noche luchando con el Ángel y le decía: *"Si no me bendices no te suelto, si no me bendices no te vas".* La historia dice que la petición, la lucha y la tensión duró toda la noche, pero al rayar el alba, finalmente el ángel le reveló su nuevo nombre. Jacob fue bendecido porque persistió. **(Génesis 32:22-23-30).**

✓ El hombre que fue a la casa de su amigo a la medianoche a pedir pan para una visita que había llegado a su casa, a pesar de los "No" de su amigo, él siguió persistiendo en su oración hasta que le fue dado lo que pedía. **(Lucas 11:8).**

Una vez escuché un testimonio del pastor Joel Osteen, sobre la perseverancia. Dice que un día decidió subir una montaña, pasado un buen tiempo, experimentó un gran cansancio y todavía no había llegado a la cima, se detuvo a tomar aire y allí mismo pensando en regresarse, pues estaba muy cansado, bajó de la cima un anciano, quien le dijo: "Estas más cerca de lo que piensas". Esto le animó a seguir y en diez minutos había llegado a la cima de la montaña, había alcanzado su meta, estuvo a punto de rendirse cuando más cerca estaba, persistir hizo la diferencia. Estamos más cerca de lo que pensamos.

La persistencia es la clave para no quedarnos a mitad de la montaña, sino conquistar la cima. *¡Decide ser una persona perseverante!*

Conclusión

Es mi oración que cada capítulo de este libro te haya llevado a determinar que debes de perseverar, que la vida no se te ha terminado, tienes trabajo por delante, te espera un futuro glorioso.

Tome la decisión de ser perseverante y alcance sus metas, sueños y visiones. Cada día es una oportunidad más que Dios le regala de soñar y de seguir hacia adelante. Despierte cada día con la pasión de cumplir su propósito, recuerde que la perseverancia tiene grandes beneficios.

El que persevere hasta el final será salvo. Mateo 24:13.

He aquí yo vengo pronto, y mi galardón conmigo, para recompensar a cada uno según sea su obra. Apocalipsis 22:12

Quisiera terminar este libro haciendo una declaración profética sobre su vida. La misma es una oración poderosa para sellar toda la impartición y la palabra en usted sembrada.

Oración

Declaro en el nombre de Jesús que entras a una temporada de perseverancia y aceleración hacia tú destino profético, que te enfocaras en tú propósito, en tú llamado, en tú ministerio, en los planes y sueños que el Padre diseñó para ti y que quiere manifestar en tu vida en este tiempo.

Declaro que no procrastinaras más tu asignación, que no diluirás más tú tiempo con superficialidades y trivialidades vanas, que lo que a otros (as) les tomo años o meses, a usted le tomara semanas en lograrlo. Serás como árbol plantado (firme) junto a corrientes de aguas, que dan su fruto a su tiempo, que su hoja no cae y todo lo que hagas prosperará (Sal 1:3). Que recibes la honra que hay sobre los planes del diligente, que tienden a la abundancia y no alocadamente a la pobreza (Pr 21:5)

Que la perseverancia te entrega las llaves de estrategias, de conquista y de Reino (Apocalipsis 3:7). Que avanzas sin retroceso hacia tu destino profético (Hebreos 8:39). Que la solicitud de tus asignaciones te lleva delante de reyes, hombres y mujeres de influencia. (Pr. 22:29). Que lo que en el cielo se dijo de ti, se habló sobre tu vida y te fue profetizado, se alinea a favor tuyo para experimentar el más de Dios, el cómo nunca de Dios y la activación de todos tus dones, potencial, talentos y habilidades para cumplir tu propósito eterno. ¡Amen!

Queremos conocerte

Si este libro ha sido de bendición para tu vida, quisiéramos que nos lo hicieses saber.

Escribanos a:
E-mail: **lic.armandoperez@gmail.com**

Y manténgase en sintonía con el ministerio del pastor Armando Pérez de las siguientes formas:
YouTube / Pastor Armando Pérez
Facebook / Armando Pérez
Fans Page / Pastor Armando Pérez
Instagram / Pastores Armando y Candy Pérez.

Visítanos todos los jueves a las 7:30 pm y los domingos a las 10:00 am en la IAR Iglesia Cristo Rey de Reyes, en la C/ Desiderio Arias, esquina Juan Miguel Román, Bella Vista. Santo Domingo República Dominicana.

Este material puede ser enseñado en grupos pequeños hogareños, esto permitirá repasar los puntos claves y les ayudará para el uso de la vida diaria, puede ser enseñando como parte del proceso de formación de líderes, además al liderazgo actual y a los diferentes ministerios.

Bibliografía

8 Principios Poderosos Para Impulsar Tu Proyecto.

El Poder del Enfoque.

Los textos Bíblicos fueron tomados de la Santa Biblia Reina Valera 1960 revisada y de la Biblia Nueva Versión Internacional.

Mi objetivo al escribir este libro es para que todos aquellos que tienen sueños y metas sean perseverantes y cumplan el llamado de Dios y su asignación divina. La perseverancia es el principio que nos impulsa a realizar los sueños y visiones, a llevar el reino de Dios y la visión que nos ha trazado a su cumplimiento.

¡Sé Perseverante! No te rindas.